Ausbildungsliteratur

Lösungen

Geldanlage und Investmentvermögen

Kaufmann für Versicherungen und Finanzen
Kauffrau für Versicherungen und Finanzen

Geprüfter Finanzanlagenfachmann IHK
Geprüfte Finanzanlagenfachfrau IHK

2. Auflage

Ausbildungsliteratur

Lösungen

Geldanlage und Investmentvermögen

Kaufmann für Versicherungen und Finanzen
Kauffrau für Versicherungen und Finanzen

Geprüfter Finanzanlagenfachmann IHK
Geprüfte Finanzanlagenfachfrau IHK

2. Auflage

Herausgegeben vom Berufsbildungswerk
der Deutschen Versicherungswirtschaft (BWV) e.V.

Bibliografische Information der Deutschen Nationalbibliothek

Die Deutsche Nationalbibliothek verzeichnet diese Publikation
in der Deutschen Nationalbibliografie;
detaillierte bibliografische Daten sind im Internet über
http://dnb.d-nb.de abrufbar.

Herausgegeben vom Berufsbildungswerk
der Deutschen Versicherungswirtschaft (BWV) e.V.

Autorin:
Ulrike Götz   Dasing

Anregungen und Kritik bitte an: Ausbildungsliteratur@vvw.de

Leider ist es kaum vermeidbar, dass Buchinhalte aufgrund von Gesetzes-
änderungen in immer kürzer werdenden Abständen schon bald nach Druck-
legung nicht mehr dem neuesten Stand entsprechen.

Beachten Sie bitte daher stets unseren Aktualisierungsservice auf unserer
Homepage unter www.vvw.de→Service→Ergänzungen/Aktualisierungen
Dort halten wir für Sie wichtige und relevante Änderungen und Ergänzungen
zum Download bereit.

ISBN 978-3-89952-775-9

Geldanlage und Investmentvermögen

1. Allgemeine Kenntnisse für die Beratung und den Vertrieb von Finanzanlageprodukten

1.1 Wirtschaftliche Grundlagen

– Seite 28–29 –

1. ▪ 1 Anbieter (Verkäufer), 1 Nachfrager (Käufer), 1 Handelsgut, Tausch- bzw. Zahlungsmittel, 1 Intermediär (Vermittler)

2. ▪ Staat: erhebt Steuern, fragt Güter nach, gewährt Transferleistungen und Subventionen
   ▪ Unternehmen: Güterproduktion, Kapitalgeber, Kapitalnehmer (Emittent), schafft Arbeitsplätze
   ▪ Privathaushalte: Konsum, Produktionsfaktor (Arbeitskraft), setzen durch Konsumverzicht den einfachen Wirtschaftskreislauf in Gang, Kapitalgeber (Anleger)
   ▪ Kreditinstitute: Finanzintermediär, Bankgeschäfte, Kapitalsammelstelle)

3. ▪ Aufschwung (Expansion), Hochkonjunktur (Boom, Höchststand), Abschwung (Rezession), Depression (Tiefstand)

4. ▪ Aufschwung: steigende Beschäftigungszahlen, steigende Preise, steigende Zinsen, steigende Aktienkurse, steigende Produktionszahlen und Unternehmensgewinne
   ▪ Boom: Vollbeschäftigung, Preise, Zinsen, Aktienkurse auf Höchststand, weiter zunehmende Expansion (Produktion und Unternehmensgewinne)
   ▪ Abschwung: sinkende Beschäftigungszahlen, sinkende Preise, sinkende Zinsen, fallende Aktienkurse, sinkende Produktionszahlen und Unternehmensgewinne, steigendes Insolvenzrisiko
   ▪ Depression: Beschäftigung, Preise, Zinsen, Aktien auf niedrigstem Stand, Wirtschaft (Produktion, Unternehmenswachstum) auf niedrigstem Stand bzw. Stillstand)

5. ▪ stetiges und angemessenes Wirtschaftswachstum, Stabilität des Preisniveaus, außenwirtschaftliches Gleichgewicht, hoher Beschäftigungsgrad, Umweltschutz, gerechte Einkommensverteilung)

6. Richtig: 1b, 2c, 3a, 4d

7. Richtig: 1 a), b), e) und 2 c), d), f)

8. Richtig: Volkswirtschaft, Polititk, Konjunktur, Demografie

9. Richtig: 3, 5, 6)

10. Konjunkturrisiko, Inflationsrisiko, politisches Länderrisiko und Transferrisiko, Währungsrisiko, Volatilität, Liquiditätsrisiko, psychologisches Marktrisiko, Risiko bei kreditfinanzierten Investments, steuerliche Risiken

1.2 Bedarf und Anlagekriterien
– Seite 33 –

1. ▪ Sicherheit kostet Ertrag.
   ▪ Höhere Renditen sind mit höheren Risiken verbunden.
   ▪ Liquidität kostet Ertrag.
   ▪ Rendite braucht Zeit (also Verzicht auf Liquidität).

2. Rendite

1.3 Finanzanlageprodukte in Form von Bankeinlagen
– Seite 43 –

1. ▪ Sichteinlagen sind Guthaben auf Girokonten.
   ▪ Tagesgeldeinlagen sind Tagesgelder, die täglich (max. 30 Tage) fällig sind.
   ▪ Termineinlagen sind Festgelder mit einer befristeten Laufzeit (mind. 1 Monat).
   ▪ Spareinlagen sind unbefristete Bankeinlagen (z. B. Sparbuch).

2.

	Sicherheit	Liquidität	Rentabilität
Sparein-lage	+ (kein Kursrisiko)	– (Kündigungs-frist ab 2.000 €)	– (geringe, variable und bankabhängige Verzinsung)
Tagesgeld	+ (kein Kursrisiko)	+ (täglich verfügbar)	+ (marktgerechte Tagesverzinsung)
Festgeld	+ (kein Kursrisiko)	+ (feste Laufzeit)	+ (marktgerechte feste Verzinsung)
Spar-vertrag	+ (kein Kursrisiko)	– (Kündigungs-frist und Bonusverlust bei vorzeitiger Verfügung)	– (gering auf die lange Laufzeit bezogen)

3. **Vorteile:** höherer Zins als bei Spareinlagen, festgeschrieben auf die gesamte Laufzeit, feste Laufzeit, keine Kosten bei Kauf, Verkauf und i. d. R. Verwahrung
   Nachteile: geringe Liquidität und keine Anpassung des Zinssatzes an das Kapitalmarktzinsniveau während der Laufzeit

4. Vom Zinseszinseffekt spricht man, wenn z. B. bei einer verzinslichen Anlage die jährlichen Zinsen wieder angelegt werden und somit das ursprünglich angelegte Kapital erhöhen und dann im nächsten Jahr mit verzinst werden. Oder ganz einfach: Dies sind die Zinsen auf die Zinsen.

5. a) 200 €
    b) 150 €
    c) 300 €

1.4 Nicht börsennotierte Finanzanlageprodukte
– Seite 49 –

1. Die Bezeichnung „nicht börsennotiert" besagt, dass es keinen regulierten Handelsplatz für diese Finanzanlagen gibt. Im Gegenzug dazu werden „börsennotierte" Finanzanlagen an einer regulierten Börse wie beispielsweise dem Aktien- oder Rentenmarkt gehandelt.

2. Der Ertrag ist abhängig vom Anlageschwerpunkt und orientiert sich am jeweiligen Marktniveau. Grundsätzlich besteht eine hohe Verfügbarkeit, da die Kapitalverwaltungsgesellschaft je nach Fondsart mindestens einmal pro Jahr zur Rücknahme der Anteile gesetzlich verpflichtet ist. Bei offenen Immobilien-Sondervermögen und Dach-Hedgefonds sind besondere Rückgabefristen zu beachten. Bei Wertpapierfonds (Aktienfonds, Rentenfonds u.a.) gibt es in der Regel eine börsentägliche Rücknahme der Anteile. Auch die Risiken sind abhängig vom Anlageschwerpunkt und sind beispielsweise bei Geldmarktfonds geringer als bei Renten- oder Aktienfonds.

3. Abhängig vom Investitionsobjekt sind grundsätzlich hohe Erträge möglich. Die Verfügbarkeit ist sehr eingeschränkt, da es keinen Börsenhandel und auch keine gesetzliche Rücknahmeverpflichtung durch den Produktanbieter gibt. Geschlossene Investmentvermögen weisen ein hohes Risiko bis hin zum Totalverlust des eingesetzten Kapitals auf, da es sich um eine unternehmerische Beteiligung handelt. D. h. der Anleger ist am Gewinn und Verlust der Anlage beteiligt. Darüber hinaus kann ein Währungsrisiko (insbesondere wenn das Investitionsobjekt im Ausland liegt) und ein Bonitätsrisiko (hinsichtlich der Beteiligten wie beispielsweise Mieter) bestehen.

4. Die Art der Genossenschaft bestimmt die Höhe der Gewinnbeteiligung. Eine Zinszahlung auf die geleistete Kapitaleinlage gibt es in der Regel nicht. Die Verfügbarkeit ist eingeschränkt, da eine Kündigung der Mitgliedschaft nur mit einer Frist von mindestens 3 Monaten (die Satzung der Genossenschaft kann auch längere Kündigungsfristen vorsehen) zum Geschäftsjahresende möglich ist. Die Art der Genossenschaft hat Einfluss auf die Risiken. Bei gewerblichen Genossenschaften ist dies am höchsten, bei Genossenschaftsbanken vergleichsweise gering. Zu beachten ist, dass der Anleger grundsätzlich mit seiner Kapitaleinlage haftet, zum Teil auch nach Beendigung der Mitgliedschaft.

5. In welchem Umfang der Genussrechtsinhaber am Gewinn der Gesellschaft beteiligt wird, hängt vom Produktgeber ab. Eine börsentägliche Verfügbarkeit besteht nur, wenn das Genussrecht in Form eines Genussscheins verbrieft ist (hierzu besteht keine Pflicht seitens des Produktgebers). Genussrechte sind gesetzlich nicht geregelt und weisen hohe Risiken auf bis hin zum Totalverlust der Kapitaleinlage. Im Konkursfall werden die Genussrechtsinhaber erst im Rang nach allen anderen Gläubigern bedient.

1.5   Börsennotierte Finanzanlageprodukte

– Seite 55 –

1. ▪ Bundesanleihen
   ▪ Bundesobligationen
   ▪ Pfandbriefe
   ▪ Unternehmensanleihen
   ▪ Euro-Auslandsanleihen
   ▪ Währungsanleihen
   ▪ u. a.

2. Emittent ist der Bund. Die Laufzeit beträgt 10 bis 30 Jahre. Die Verzinsung ist abhängig von den Kapitalmarktzinsen und wird jährlich gezahlt. Kosten fallen bei der depotführenden Stelle für den Kauf / Verkauf (Kaufspesen) bzw. die Verwahrung der Bundesanleihe im Kundendepot (Depotführungsgebühr) an. Es gibt grundsätzlich keinen Mindestanlagebetrag von Seiten des Bundes. Die Bundesanleihe hat durch den börsentäglichen Handel eine hohe Verfügbarkeit. Bundesanleihen weisen durch den Bund eine hohe Emittentenbonität auf, bergen als Geldanlage aber ein Inflationsrisiko. Bei einem vorzeitigem Verkauf über die Börse besteht die Chance auf Kursgewinne und das Risiko von Kursverlusten. Insgesamt ist das Risiko dieser Finanzanlageform als vergleichsweise gering einzustufen.

3. Emittent ist der Bund. Die Laufzeit beträgt 5 Jahre. Die Verzinsung ist abhängig von den Kapitalmarktzinsen und wird jährlich gezahlt. Kosten fallen bei der depotführenden Stelle für den Kauf / Verkauf (Kaufspesen) bzw. die Verwahrung der Bundesobligation im Kundendepot (Depotführungsgebühr) an. Es gibt grundsätzlich keinen Mindestanlagebetrag von Seiten des Bundes. Die Bundesobligation hat durch den börsentäglichen Handel eine hohe Verfügbarkeit. Bundesobligationen weisen durch den Bund eine hohe Emittentenbonität auf, bergen als Geldanlage aber ein Inflationsrisiko. Bei einem vorzeitigem Verkauf über die Börse besteht die Chance auf Kursgewinne und das Risiko von Kursverlusten. Insgesamt ist das Risiko dieser Finanzanlageform als vergleichsweise gering einzustufen.

4. Emittenten von Aktien sind Aktiengesellschaften. Aktien haben eine unbegrenzte Laufzeit. Die Aktiengesellschaft kann im Falle erzielter Gewinne die Aktionäre über eine Dividendenzahlung hieran beteiligen. Diese ist jedoch betraglich nicht festgelegt und abhängig vom erzielten Gewinn bzw. der grundsätzlichen Dividendenpolitik des Unternehmens. Für den Erwerb und Verkauf von Aktien muss der Anleger die entsprechenden Kauf- bzw. Verkaufsspesen an seine Bank zahlen. Für die Verwahrung der Aktien in einem Depot fällt eine Depotführungsgebühr an. Aktien können börsentäglich gehandelt werden und zeichnen sich somit durch eine hohe Verfügbarkeit/ Liquidität aus. Es besteht ein Bonitätsrisiko hinsichtlich des Aktienunternehmens und ein Kursrisiko. Da der Erfolg der Aktienanlage abhängig von der Entwicklung des Unternehmens ist und es auch zu starken Kursschwankungen kommen kann, ist das Risiko der Aktienanlage als vergleichsweise hoch einzustufen.

5. ETFs werden von Kapitalverwaltungsgesellschaften aufgelegt. Sie haben eine unbegrenzte Laufzeit. Sie verfügen in der Regel über eine jährliche Ausschüttung der Erträge. Beim Kauf von ETFs fällt kein Ausgabeaufschlag an. Dafür sind Kauf- und Verkaufsspesen für den Handel über die Börse vom Anleger an seine depotführende Stelle zu zahlen. Weitere Kosten entstehen auf Fondsebene und werden dem Sondervermögen belastet. Da ETFs börsengehandelte Investmentvermögen sind, besteht eine hohe Verfügbarkeit und es erfolgt während der Börsenzeiten eine laufende Kursfeststellung). ETFs sind in der Regel Indexfonds, die einen Börsenindex nachbilden (beispielsweise den Deutschen Aktienindex DAX). Chancen und Risiken hängen deshalb von der Art des nachgebildeten Index ab.

1.6   Zertifikate

– Seite 71 –

1. ▪ Transparenz
   ▪ Liquidität
   ▪ große Auswahl
   ▪ Kostenvorteile

2. ▪ Aktien
   ▪ Anleihen
   ▪ Indizes
   ▪ offene Investmentvermögen
   ▪ Rohstoffe
   ▪ Termingeschäfte
   ▪ Währungen

3. ▪ Primärmarkt für die Ausgabe / Emission von Zertifikaten
   ▪ Sekundärmarkt für den laufenden Handel während der Laufzeit des Zertifikates

4. Ein Index-Zertifikat bildet einen Marktindex nach. Am Laufzeitende erfolgt die Rückzahlung i. d. R. zum Wert des zugrundeliegenden Basisindex.
   Dagegen kann ein Garantiezertifikat einen beliebigen Basiswert (oder eine Kombination aus mehreren) abbilden. Zum Laufzeitende wird ein Mindestkapitalschutz vereinbart.

5. Ein Discount-Zertifikat gewährt einen Abschlag / Rabatt auf den aktuellen Börsenkurs des Basiswertes. Dafür gibt es eine Obergrenze für den Rückzahlungsbetrag bei steigenden Kursen.
   Ein Bonus-Zertifikat gewährt einen Bonus auf den gezahlten Ausgabepreis, sofern eine Barriere während der Laufzeit des Zertifikates weder erreicht noch unterschritten wird.

6. Richtig: 1 c), 2 a), 3 b)

7. ▪ Laufzeit
   ▪ Basiswert
   ▪ Rückzahlung
   ▪ Kombination von Basiswerten
   ▪ Struktur

8.

Nach der Zusammensetzung des Basiswertes	Nach der Struktur
Einzelwert-Zertifikat: Basiswert = Einzelwert	Discount-Zertifikat: mit Abschlag „Rabatt"
Index-Zertifikat: Basiswert = Index eines Marktsegmentes	Bonus-Zertifikat: Mehrertrag durch Bonus
Basket-Zertifikat: Basiswert = individuelle Zusammenstellung	Garantie-Zertifikat: Mindestkapitalschutz

9. ▪ Wie funktioniert das Zertifikat?
   ▪ Versteht der Anleger den Markt, den das Zertifikat nachbildet?

10. **Emittentenrisiko:** Totalverluste des Kapitals bei Insolvenz des Zertifikate-Emittenten
    Kursänderungsrisiko: Kapitalverlust bei fallenden Kursen des Basiswertes, sofern das Zertifikat vorzeitig verkauft wird bzw. am Rückzahlungstag, wenn kein Kapitalschutz besteht.

Währungsrisiko: Kapitalverlust bei Währungsschwankungen, wenn der zugrundeliegende Basiswert eine Währung ist oder währungs-abhängig (z. B. in US-$ notierte Anleihen).

Liquiditätsrisiko: Die Emittenten sind nicht zur börsentäglichen Preisfeststellung und einem börsentäglichen Handel verpflichtet. Dadurch kann es bei einem kurzfristigen Kapitalbedarf auf Seiten des Anlegers zu Liquiditätsengpässen kommen, wenn kein funktio-nierender Sekundärmarkt vom Emittenten angeboten wird.

Risiko der Lieferung des Basiswertes: Manche Zertifikatestruk-turen sehen anstelle der Geldkapitalrückzahlung eine Auslieferung des Basiswertes zum Laufzeitende vor, sofern z. B. dessen Kurs am Laufzeitende unter den Kurs bei Ausgabe gesunken ist. Sofern sich der Kurs nicht mehr erholt (d. h. wieder steigt) und der Anleger die Basiswerte verkaufen muss, kann es zu einem Kapitalverlust kom-men.

Risiko des Wertverfalls: Im schlimmsten Fall Totalverlust des ein-gesetzten Kapitals, wenn die Unternehmen, die hinter den Basis-werten stehen, insolvent werden.

Korrelationsrisiko: Das Zertifikat bildet zwar grundsätzlich die ihm zugrundeliegenden Basiswerte ab, was aber weitere Einflussfakto-ren auf den Zertifikatepreis wie z. B. Zinsentwicklung, allgemeine Marktentwicklung nicht ausschließt.

11. Risiko des Kapitalverlustes am Laufzeitende: Sinken die Kurse der Basiswerte unter die Barriereschwelle (oder erreichen diese), so entfällt der zugesagte Bonus oder die Prämie als teilweiser Ka-pitalschutz und der Anleger erhält ggf. nur noch den reduzierten Kurswert am Laufzeitende.

12. Selbstverantwortlicher Anleger mit eigener Marktmeinung, sicher-heitsorientiert (mit Kapitalschutz) bis spekulativ (ohne Kapitalschutz) je nach Zertifikatestruktur; Anleger, die die Struktur des Zertifikates verstehen und die Basis für eine mögliche Gewinnerzielung nach-vollziehen können.

13. 5 %

14. ▪ Garantiezertifikat: sicherheitsorientiert, mit einem Anlagehorizont, der der Laufzeit des Zertifikates entspricht
    ▪ Bonuszertifikat: erfahrene Anleger

15. Inhaber-Schuldverschreibungen. Im Gegensatz zu offenen Invest-mentvermögen besteht bei Zertifikaten deshalb kein Insolvenz-schutz für den Fall, dass der Emittent Konkurs anmelden muss und der Anleger sein komplettes eingesetztes Kapital verlieren würde.

1.7   Allgemeine rechtliche Grundlagen

– Seite 85 –

1. ▪ Rechtsfähigkeit
   ▪ Geschäftsfähigkeit

2. ▪ Geschäftsunfähig: Minderjährige unter 7 Jahre
   ▪ Beschränkt geschäftsfähig: Minderjährige von 7–17 Jahren
   ▪ Voll geschäftsfähig: Volljährige ab dem 18. Lebensjahr

3. ▪ Girokonten für die Abwicklung des Zahlungsverkehrs
   ▪ Geldanlageformen, wie z. B. Sparkonten
   ▪ Depotkonten für die Verwahrung von Wertpapieren
   ▪ Darlehenskonten, z. B. für die Finanzierung von Wertpapierge-
   schäften

4. Richtig: b), d)

5. Rechtsfähigkeit bedeutet, Träger von Rechten und Pflichten sein zu
   können.
   Geschäftsfähig zu sein bedeutet, rechtlich bindende Willenserklä-
   rungen abgeben zu können.

1.8   Rechtliche Grundlagen für die Finanzanlagenberatung/-vermittlung

– Seite 112–113 –

1. Richtig: a), c), f)

2. Richtig: b), d), e)

3. Aktien, verzinsliche Wertpapiere, Zertifikate auf Aktien oder ver-
   zinsliche Wertpapiere, Genussscheine, Geldmarktinstrumente,
   Derivate, offene und geschlossene Investmentvermögen, Devisen,
   Rechnungseinheiten, Vermögensanlagen im Sinne des § 1 Abs. 2
   Vermögensanlagengesetz (außer Genossenschaftsanteile)

4. ▪ Anlageberatung
   ▪ Anlagevermittlung
   ▪ reines Ausführungsgeschäft

5. Richtig: a), c)

6. Richtig: b), d)

7. Richtig: a), c), d)

8. ▪ Sachkunde
   ▪ Sorgfalt
   ▪ Gewissenhaftigkeit
   ▪ Handeln im Interesse des Anlegers

9. ▪ Anlageziele des Anlegers
   ▪ finanzielle Verhältnisse
   ▪ Kenntnisse und Erfahrungen des Anlegers in Bezug auf
     Finanzanlagen

10. Richtig: 1 c), 2 a), 3 b)

1.9 Vermittlerrecht

– Seite 121 –

1. a) Der BVI ist der Branchenverband der offenen Investmentfonds.
   b) Der bsi vertritt die Interessen der Unternehmen, die Sachwerte
      verwalten und deren Tätigkeit direkt im Zusammenhang mit dem
      Kapitalanlagegesetzbuch steht.
   c) Das BWV ist das Bildungsnetzwerk der Versicherungsbranche.
   d) Der AfW vertritt die politischen Interessen der unabhängigen
      Finanzdienstleister.
   e) VOTUM ist der Verband unabhängiger Finanzdienstleistungsun-
      ternehmen in Europa.

2. ▪ Familienname, Vorname, Firmen der Personenhandelsgesellschaf-
     ten, in denen er als geschäftsführender Gesellschafter tätig ist.
   ▪ betriebliche Anschrift, Telefonnummer, E-Mail-Adresse oder Fax-
     nummer
   ▪ ob er als Finanzanlagenvermittler mit einer Erlaubnis nach § 34 f
     Gewerbeordnung in das Vermittlerregister eingetragen ist und
     wie sich dies überprüfen lässt
   ▪ Emittenten und Anbieter, zu deren Finanzanlagen er Vermittlungs-
     und Beratungsleistungen anbietet
   ▪ Anschrift der für die Erlaubniserteilung nach § 34 f Gewerbeord-
     nung zuständigen Behörde, sowie die Registernummer, unter
     der er im Register eingetragen ist

3. ▪ Offene Investmentvermögen
   ▪ Geschlossene Investmentvermögen im Sinne des Kapitalanlage-
     gesetzbuches
   ▪ Vermögensanlagen (Genussrechte, Namensschuldverschreibun-
     gen, Stille Beteiligungen, weitere geschlossene Fonds, Genos-
     senschaftsanteile) im Sinne des § 1 Abs. 2 Vermögensanlagege-
     setz

4. Die zur Finanzanlagenvermittlung befugten Vermittler müssen sich
   in das bereits bestehende Versicherungsvermittlerregister der IHK
   eingetragen und somit registrieren lassen.

5. ▪ geordnete Vermögensverhältnisse
   ▪ Zuverlässigkeit
   ▪ Berufshaftpflichtversicherung (Vermögensschadenshaftpflicht VSH)
   ▪ Sachkundenachweis

1.10 Wettbewerbsrecht

– Seite 131 –

1. Richtig: a), c), d)

2. Richtig: a), b), c)

3. Richtig: b), f)

4. ▪ Telefonwerbung ohne vorherige Einwilligung
   ▪ Rufnummernunterdrückung
   ▪ Newsletter ohne Angabe einer Adresse zum Abbestellen

5. ▪ unlautere geschäftliche Handlungen
   ▪ vergleichende Werbung
   ▪ irreführende geschäftliche Handlungen
   ▪ unzumutbare Belästigungen

1.11 Verbraucherschutz

– Seite 148–149 –

1. Richtig: a), c)

2. Richtig: b), d)

3. ▪ Bankenaufsicht
   ▪ Versicherungsaufsicht
   ▪ Wertpapieraufsicht / Asset Management
   ▪ Querschnittsaufgaben

4. ▪ Solvenzaufsicht
   ▪ Marktaufsicht
   ▪ Anlegerschutz

5. Wertpapieraufsicht

6. Schlichtungsstellen versuchen bei Verbraucherstreitigkeiten außergerichtlich zu schlichten. Sie müssen unabhängig von den Streitparteien sein und müssen leicht zugänglich, kostengünstig und vergleichsweise schnell den Streit beilegen können.

7. Richtig: c)

8. Richtig: b), d), e)

9. Richtig: 1 a), 2 b)

10. ▪ Verfolgung von Rechtsverstößen
    ▪ Information der Medien und Öffentlichkeit über wichtige Verbraucherthemen

▪ Durchführung von verbraucherrelevanten Aktionen

▪ Zusammenarbeit mit Schulen und Einrichtungen der Jugend- und Erwachsenenbildung

2. Offene Investmentvermögen

2.2 Finanzmärkte

– Seite 173 –

1. ▪ Kapitalaustausch
   ▪ Kapitalbeschaffung
   ▪ Kapitalbewertung

2. Ein Börsenindex spiegelt die Kursentwicklung ausgewählter Wertpapiere wieder. Er ist Informationsquelle für den Anleger bezüglich des aktuellen Marktgeschehens. Er ist ein Vergleichsmaßstab (Benchmark), mit dem man den Erfolg einer Wertpapieranlage beurteilen kann.

3. Der Finanzmarkt besteht u. a. aus dem Geld- und Kapitalmarkt. Der Kapitalmarkt wiederum setzt sich aus dem Renten- und Aktienmarkt zusammen.

4. Ein Privatanleger kann sich über eine Termingeldanlage bei einer Bank oder über Geldmarktfonds am Geldmarkt beteiligen.

5. Am Rentenmarkt wird der Kapitalanleger durch den Erwerb verzinslicher Wertpapiere mit unterschiedlichen Laufzeiten zum Gläubiger/Kreditgeber. Demgegenüber steht als Kapitalsuchender der Emittent der Anleihen, der über diese Form der Fremdkapitalfinanzierung zum Kreditnehmer wird.
   Am Aktienmarkt wird der Kapitalanleger Teilhaber durch den Erwerb von Aktien und der kapitalsuchende Emittent gibt die Aktien als Form der Eigenkapitalfinanzierung aus.

6. General Standard und Prime Standard

7. Inflationsrate, Kapitalbedarf, internationale Marktzinsentwicklung

8. a) Die Kurse bestehender Anleihen fallen.
   b) Die Kurse bestehender US-amerikanischer Anleihen steigen.
   c) Der Kurs der Anleihen der Max Maier AG fällt.
   d) Der Kurs der Bankanleihe der Hamburger Bank AG steigt.

9. Unter Bonität versteht man die wirtschaftliche Qualität eines Emittenten (Herausgeber der Anleihe). So besitzt z. B. ein Unternehmen mit guter Bonität die Finanzstärke, um am Laufzeitende das erhaltene Kapital wieder an die Anleger zurückzuzahlen. Die Bonität des Emittenten ist also ein entscheidender Sicherheitsaspekt bzw. Risikofaktor bei einem verzinslichen Wertpapier.

10. ▪ allgemeines Zinsniveau
     ▪ allgemeine Wirtschaftsentwicklung
     ▪ spezielle Unternehmensdaten
     ▪ Politik und
     ▪ Psychologie

2.3 Börsennotierte Wertpapiere

– Seite 208–209 –

1. Für Anleger eine Kapitalanlage, bei der er Gläubiger (verzinsliche Wertpapiere) oder Teilhaber (Aktienanlage) wird.
Für Emittenten eine Möglichkeit zur Beschaffung von Eigen- (Ausgabe von Aktien) oder Fremdkapital (Emission von verzinslichen Anleihen).

2. a) Gläubigerpapier, sachrechtliches Wertpapier, Teilhaberpapier
   b) Inhaberpapier, Orderpapier, Namenspapier
   c) Geldwertpapier, Kapitalwertpapier, Warenwertpapier
   d) Anteile offener Investmentvermögen sind sachrechtliche Wertpapiere und zählen zu den Kapitalwertpapieren.

3. Der Buchwert ist der Wert, mit dem die Vermögensgegenstände eines Unternehmens in der Bilanz aufgeführt sind. Er ergibt sich aus den Anschaffungs- oder Herstellungskosten abzüglich der Abschreibungen.

4. ▪ Konjunkturrisiko
   ▪ Inflationsrisiko
   ▪ Länder- und Transferrisiko
   ▪ Währungsrisiko
   ▪ Volatilität
   ▪ Liquiditätsrisiko
   ▪ psychologisches Marktrisiko
   ▪ steuerliche Risiken
   ▪ Risiko bei kreditfinanzierten Wertpapierkäufen

5. ▪ Anleihen
   ▪ Rentenpapiere
   ▪ Gläubigerpapiere
   ▪ Bonds
   ▪ Obligationen
   ▪ Schuldverschreibungen
   ▪ Schuldtitel

6. ▪ Das Recht auf Zinszahlung
   ▪ Das Recht auf Rückzahlung/Tilgung des eingesetzten Anlagekapitals

7. ◾ Öffentliche Hand (Bundesrepublik Deutschland, Bundesländer u. ä.),
   ◾ Kreditinstitute (private Geschäftsbanken, Hypothekenbanken u. ä.)
   ◾ Industrieunternehmen (Großunternehmen, wie z. B. BMW, Siemens etc.)
   ◾ ausländische Emittenten (ausländische Staaten, Kreditinstitute, Industrieunternehmen, Weltbank u. ä.)

8. ◾ Verzinsung
   ◾ Laufzeit
   ◾ Rückzahlung
   ◾ Währung
   ◾ Übertragung der Rechte

9. ◾ Festzins (ggf. abgestuft fallend oder steigend)
   ◾ variabler Zins (gekoppelt an einen Referenzzins)
   ◾ keine Verzinsung

10. a) ca. 1–2 Jahre
    b) ca. 2–8 Jahre
    c) ca. mehr als 8 Jahre

11. ◾ **Mündelsicherheit:** für Vermögenswerte von Personen, die unter Vormundschaft stehen (sog. Mündel)
    ◾ **Deckungsstockfähigkeit:** Gem. dem Versicherungsaufsichtsgesetz müssen Versicherungsunternehmen ein gesondertes Vermögen (sog. Deckungsstock) zur Besicherung der Ansprüche ihrer Versicherungsnehmer bilden. Die Anlagen müssen besondere Anforderungen an Sicherheit, Liquidität und Rentabilität erfüllen.
    ◾ **Notenbankfähigkeit:** Wertpapiere, die u. a. bei der Deutschen Bundesbank beliehen werden können.

12. ◾ Anleihen der öffentlichen Hand
    ◾ Bankschuldverschreibungen
    ◾ Pfandbriefe
    ◾ Unternehmensanleihen
    ◾ Anleihen ausländischer Emittenten

13. ◾ **Wandelanleihen:** Die verzinsliche Anleihe kann in Aktien umgetauscht werden.
    ◾ **Optionsanleihen:** Zusätzlich zur verzinslichen Anleihe besteht ein Recht auf den Bezug von Aktien.
    ◾ **Gewinnschuldverschreibungen:** Zusätzlich besteht das Recht auf eine zusätzliche dividendenbezogene Verzinsung (Beteiligung am Unternehmensgewinn).
    ◾ **Inflationsgeschützte Anleihe:** Die Ausgestaltung der verzinslichen Anleihe ermöglicht einen Inflationsschutz.

14. ▪ Bonitätsrisiko
    ▪ Zins-/Kursänderungsrisiko während der Laufzeit
    ▪ Kündigungsrisiko
    ▪ Auslosungsrisiko
    ▪ Risiken bei einzelnen Anleiheformen

15. ▪ Haushaltspolitik des Staates
    ▪ Notenbankpolitik
    ▪ Konjunkturentwicklung
    ▪ Inflation
    ▪ ausländische Marktzinsentwicklung

16. Leistung seiner Einlage = Zahlung des Kaufpreises entsprechend dem aktuellen Kurs pro erworbener Aktien
    Haftung: in Höhe seiner Einlage

17. ▪ **Vermögensrechte:** Beteiligung am Gewinn (Dividendenzahlung) und Anteil am Liquidationserlös im Konkursfall
    ▪ **Verwaltungsrechte:** Teilnahme an der Hauptversammlung, Auskunftsrecht über rechtliche und geschäftliche Angelegenheiten des Unternehmens, Stimmrecht
    ▪ **Bezugsrecht** an neuen Aktien bei Kapitalerhöhungen

18.   a) 1), 4), 7)
        b) 2), 5)
        c) 3), 6)

19. ▪ Unternehmerisches Risiko (Insolvenzrisiko)
    ▪ Kursänderungsrisiko
    ▪ Dividendenrisiko
    ▪ Psychologie der Marktteilnehmer
    ▪ Risiko der Kursprognose (Timing)
    ▪ Risiko eines Zulassungswiderrufs (Delisting)

20. ▪ Kursgewinne
    ▪ Dividendenerträge

21. ▪ Ertrag (Dividende)
    ▪ Sachwertanlage (Inflationsschutz)
    ▪ Spekulation (Möglichkeit hoher Kursgewinne)
    ▪ Mitbestimmung (durch die Verwaltungsrechte)

22. **Aktienanlage:**
    ▪ Anleger wird Teilhaber / Mitinhaber an der Aktiengesellschaft
    ▪ Aktienkapital = Eigenkapital
    ▪ Gewinnbeteiligung = Dividende
    ▪ Dividendenzahlung setzt Gewinn voraus
    ▪ Sachwertanlage
    ▪ höhere Kursschwankungen

- wesentliche Risiken: wirtschaftliche Entwicklung des Unternehmens und die Marktentwicklung
- langfristige Vermögensanlage

Unternehmensanleihe:

- Anleger wird Gläubiger des Unternehmens
- Anleihekapital = Fremdkapital
- Rückzahlungsanspruch
- keine Gewinnbeteiligung, dafür fester Zinsanspruch
- Geldwertanlage
- wesentliche Risiken: Bonitätsrisiko und Zinsänderungsrisiko während der Laufzeit
- mittelfristige Vermögensanlage

23.
- Streuung
- Mindestanlagebetrag (mind. 10.000 €) und Kosten (max. 1 % in Relation zur Anlagesumme) beachten
- langfristiger Anlagehorizont von mind. 10 Jahren
- Gewinne regelmäßig realisieren
- Verluste aussitzen (bei nach wie vor soliden Unternehmensdaten) bzw. rechtzeitig aussteigen (wenn sich neben der Marktentwicklung auch die Unternehmensdaten verschlechtern)
- kein kreditfinanzierter Aktienkauf
- Limits
- kein häufiges Umschichten
- regelmäßig informieren
- Aktienanlage mit anderen Anlageformen kombinieren

24. Eine Hochzinsanleihe von Emittenten mit schlechter Bonität (Anleiherating: Spekulativer Grad) wird als High Yield Anleihe bezeichnet. Bei besonders schlechter Emittentenbonität wird auch der Begriff Junk Bond synonym verwendet. Die Emittenten bieten als Risikoausgleich überdurchschnittlich hohe Renditen.

25. Die Umlaufrendite wird börsentäglich von der Deutschen Bundesbank für Anleihen mit Emittenten erstklassiger Bonität berechnet. Neben der allgemeinen Umlaufrendite, die das Marktzinsniveau dieses Kapitalmarktsegmentes wiederspiegelt, werden separate Umlaufrenditen für die einzelnen Emittenten und unterschiedliche Restlaufzeiten berechnet.

2.4 Offene Investmentvermögen

– Seite 239 –

1. Mehrere Anleger können auch mit kleinen Beträgen in das offene Investmentvermögen investieren. Dafür erhalten die Anleger eine entsprechende Anzahl an Anteilen oder Aktien. Im Sondervermögen ist das Geld auf verschiedene Wertpapiere oder Anlageklassen

(Diversifikation) verteilt und das Risiko wird breit gestreut, indem in verschiedene Einzeltitel investiert wird.

2. Richtig: 1 c), 2 a), 3 e), 4 d), 5 b)

3. ▪ Risikostreuung
   ▪ professionelles Fondsmanagement
   ▪ Liquidität
   ▪ Transparenz
   ▪ Konditionenvorteile
   ▪ einzigartiger gesetzlicher Anlegerschutz

4. Die Risikostreuung wird durch die Verteilung des Sondervermögens auf mehrere Anlageformen und Einzeltitel erreicht.

5. ▪ **Verwaltungsvergütung:** für die Leistungen des Fondsmanagements
   ▪ **Ausgabeaufschlag:** für den Vertrieb der Anteile
   ▪ **Depotführungsgebühr:** erhält die depotführende Bank des Kunden für die Führung des Kundendepots
   ▪ **Verwahrstellenvergütung:** erhält die Verwahrstelle des Sondervermögens u. a. für die Verwahrung des Sondervermögens, die Unterstützung der Kapitalverwaltungsgesellschaft bei der Berechnung des Ausgabe- und Rücknahmepreises, die Ausgabe und Rücknahme der Anteile und die Abwicklung der Ausschüttung, die Überwachung der Anlagebedingungen
   ▪ **Transaktionskosten:** für den Kauf und Verkauf der Einzeltitel des Sondervermögens

6. ▪ Die BaFin kontrolliert die Kapitalverwaltungsgesellschaft und die Verwahrstelle.
   ▪ Die Verwahrstelle überwacht die Einhaltung der Anlagebedingungen, die für das Investmentvermögen gelten.
   ▪ Die Kapitalverwaltungsgesellschaft lässt das Sondervermögen getrennt von ihrem eigenen Vermögen verwalten, damit das Sondervermögen im Konkursfall der KVG geschützt ist.

7. Das Sondervermögen setzt sich zusammen aus: Wertpapiervermögen, Bankguthaben, sonstigen Vermögensgegenständen (z. B. Zins- und Dividendenansprüche), Immobilienvermögen, abzüglich Verbindlichkeiten aus Krediten, abzüglich Kosten und Gebühren

8. Der Wert des Sondervermögens geteilt durch die Anzahl der ausgegebenen Investmentanteile ergibt den Anteilwert.

9. Der Rücknahmepreis entspricht dem Anteilwert (Wert des Sondervermögens geteilt durch die Anzahl der ausgegebenen Fondsanteile) Der Ausgabepreis berechnet sich: Anteilwert zzgl. Ausgabeaufschlag

10. Rücknahmepreis = Sondervermögen
    105.500.000 € / Anzahl der Anteile 5.000.000 = von 21,10 €

    Ausgabepreis = Anteilwert (= Rücknahmepreis)
    21,10 € × 1,05 = 22,16 € (gerundet)

2.5 Fondsarten

– Seite 300–303 –

1. Richtig: c), d)

2. ▪ Ertragsverwendung (Ausschüttung / Thesaurierung)
   ▪ Ausgabeaufschlag
   ▪ Währung
   ▪ Verwaltungsvergütung
   ▪ Mindestanlagesummen

3. ▪ Wertpapiere
   ▪ Geldmarktinstrumente
   ▪ Bankguthaben
   ▪ Investmentanteile
   ▪ Derivate

4. Durch diese gesetzlich festgeschriebene Regel wird die Risiko-streuung eines offenen Investmentvermögens vorgegeben. Ein offenes Investmentvermögen darf nur bis zu 5 % des Wertes des Sondervermögens in Wertpapiere eines einzelnen Emittenten an-legen. Eine Ausnahme besteht, wenn die Vertragsbedingungen bis zu 10 % vorsehen. Alle Ausnahmefälle zusammen dürfen dabei 40 % des Wertes des Sondervermögens nicht übersteigen.

5. ▪ Länderfonds, z. B. geografische Ausrichtung auf Deutschland
   ▪ Regionenfonds, z. B. geografische Ausrichtung auf Südostasien
   ▪ Internationale Fonds, z. B. geografische Ausrichtung weltweit

6. Richtig: a), b), d), f), h)

7. ▪ mit/ohne Währungsrisiko
   ▪ mit/ohne Garantie
   ▪ mit/ohne Ausgabeaufschlag
   ▪ keine/feste Laufzeit
   ▪ Ausschüttung oder Thesaurierung

8. Ein Garantiefonds kann eine bestimmte Ausschüttung, die Rück-zahlung des eingesetzten Kapitals oder eine gewisse Wertentwick-lung in einem festgelegten Zeitraum garantieren. Die Garantie kann dabei 100 %, aber auch weniger betragen.

9. Ein No-load-Funds ist ein offenes Investmentvermögen ohne Aus-gabeaufschlag. Im Gegenzug wird in der Regel eine höhere jährli-che Verwaltungsvergütung berechnet.

10. Laufzeitfonds sind auf eine fest definierte Laufzeit ausgerichtet. Damit der Anleger sein eingesetztes Kapital und die möglichen erzielten Kursgewinne am Laufzeitende auch ausbezahlt bekommt, betreiben Laufzeitfonds ein sogenanntes Anlagemanagement, d.h.

zum Laufzeitende hin wird der Aktienanteil zugunsten von Anlagen mit geringerem Kursschwankungsrisiko (Geldmarkt- oder Rentenfonds u. a.) reduziert.

11. Bei thesaurierenden offenen Investmentvermögen ist die Wiederanlage der Erträge in den Anlagebedingungen fest vorgeschrieben. Bei ausschüttenden offenen Investmentvermögen kann der Anleger dagegen auf eigenen Wunsch die automatische Wiederanlage der Ausschüttungen beauftragen und jederzeit auch wieder aufheben.

12. Geldmarktfonds unterliegen klar vorgeschriebenen gesetzlichen Regeln zur Zinsbindungsdauer, Restlaufzeit sämtlicher Vermögensgegenstände und maximaler Restlaufzeit von Geldmarktinstrumenten. Geldmarktnahe Fonds können hiervon abweichen und bergen deshalb ein höheres Risiko und dürfen auch nicht die Bezeichnung „Geldmarktfonds" in ihrer Bezeichnung führen.

13. ■ **Währung:** beispielsweise nur in Euro oder auch in internationale Nicht-Euro-Währungsanleihen
   ■ **Bonität:** beispielsweise in erstklassige Staatsanleihen, in hochverzinsliche Anleihen (High Yield) von Emittenten mit unterschiedlicher Bonität oder in Unternehmensanleihen (Corporate Bonds)
   ■ **Laufzeit:** Der Rentenfonds selbst hat keine Laufzeitbegrenzung, kann sich aber auf verzinsliche Wertpapiere mit bestimmten Laufzeiten fokussieren beispielsweise kurze oder lange Laufzeiten.

14. ■ Je spezialisierter ein Rentenfonds, umso höher die Chancen / Risiken.
   ■ Je länger die durchschnittliche Laufzeit der im Sondervermögen enthaltenen Anleihen, umso höhere Chancen / Risiken.
   ■ Beachten Sie die reale Verzinsung dieser Geldwertanlage (d. h. Berücksichtigung der Inflation).

15. In Unternehmen erstklassiger Bonität (sog. Blue Chips oder Large Caps) und hoher Marktkapitalisierung

16. Richtig: a), c), e)

17. Richtig: a), b), e)

18. Richtig: b)

19. Richtig: a), d), f)

20. Richtig: b), c), e)

21. Richtig: b), c), d), e)

22. ■ breitere Risikostreuung
   ■ kein Emittentenrisiko
   ■ professionelles Fondsmanagement
   ■ Strategien auch für spezielle Marktsituationen
   ■ unbefristete Laufzeit

23. Richtig: c)

24. Bei einem aktiv gemanagten offenen Investmentvermögen trifft das Fondsmanagement aktiv eigene Anlageentscheidungen aufgrund umfassender Unternehmens- und Marktanalysen.

    Bei einem passiv gemanagten offenen Investmentvermögen wird lediglich ein Index nachgebildet, der eigene Anlageentscheidungen eines Fondsmanagements überflüssig macht.

25. Richtig: b), d), e)

26. Ein Exchange Traded Fund ist ein börsengehandeltes offenes Investmentvermögen, i. d. R. in Form eines Indexfonds.

27. **Vorteile**
    - einfache Handelbarkeit durch börsentäglich fortlaufende Preise (nicht nur einmal am Tag)
    - günstige Kostenstruktur
    - Abbildung eines Index bietet Risikostreuung und Transparenz
    - unbegrenzte Laufzeit

    Nachteile
    - kein aktives Fondsmanagement (es wird einfach nur der zugrundeliegende Index nachgebildet)
    - „Klumpenrisiko"
    - Währungsrisiko bei internationalen Indizes

28. - Mindesthaltefrist 24 Monate
    - kein Freibetrag
    - unwiderrufliche Rückgabefrist für alle Anteilsrückgaben 12 Monate

29. OGAW, gemischte Investmentvermögen, sonstige Investmentvermögen

30 **Geldmarktfonds mit kurzer Laufzeitstruktur:**
    - durchschnittliche Zinsbindungsdauer max. 60 Tage
    - durchschnittliche Restlaufzeit sämtlicher Vermögensgegenstände max. 120 Tage

    Geldmarktfonds:
    - durchschnittliche Zinsbindungsdauer max. 6 Monate
    - durchschnittliche Restlaufzeit sämtlicher Vermögensgegenstände max. 12 Monate

2.6 Staatliche Förderung von offenen Investmentvermögen

– Seite 332–333 –

1. Arbeitnehmer
   - Arbeiter
   - Angestellte (auch in Berufsausbildung)

- Heimarbeiter
- Beamte
- Richter
- Berufssoldaten und Soldaten auf Zeit

2. - Bausparverträge
   - Beteiligungssparen
   - Kontensparverträge
   - Lebensversicherungen

3. 60 %

4. 20 % auf max. 400 € (Einzelveranlagung)/ 800 € (Zusammenveranlagung)

5. 6 Ansparjahre + 1 Ruhejahr = 7 Jahre Sperrfrist, in der über das gebildete Vermögen nur in Ausnahmefällen prämienunschädlich verfügt werden kann.

6. 20.000 € (Einzelveranlagung) / 40.000 € (Zusammenveranlagung)

7. Die AN-Sparzulage muss jährlich rückwirkend (max. 6 × je Ansparjahr) im Rahmen der EKSt-Erklärung vom Arbeitnehmer beantragt werden. Dazu wird ihm von der depotführenden Stelle eine entsprechende VL-Bescheinigung über die geleisteten Zahlungen ausgestellt.
   Die Zahlung der AN-Sparzulage erfolgt am Ende der 7-jährigen Sperrfrist.

8. Die prämienunschädliche Verfügung ist möglich bei:
   - Tod oder völliger Erwerbsunfähigkeit des Arbeitnehmers oder Ehegatten (nicht dauernd getrennt lebend)
   - Heirat (2 Jahre Sperrfrist müssen vergangen sein)
   - Arbeitslosigkeit (seit mindestens 1 Jahr andauernd)
   - Verwendung für eine Weiterbildungsmaßnahme im Rahmen der sog. „Bildungsprämie" für den Arbeitnehmer oder Ehegatten (nicht dauernd getrennt lebend)
   - Existenzgründung (hauptberuflich als Gewerbe oder freiberuflich)

9. 4 % aus dem sozialversicherungspflichtigen Gehalt (25.000 €) von 2011 = 1.000 € Mindest-Eigenbeitrag
   Mindesteigenbeitrag 1.000 € abzgl. Grundzulage 154 € = 846 € Eigenleistung

10. Zulagen und sonstige steuerliche Vorteile müssen zurückbezahlt werden. Ein eventueller Veräußerungsgewinn muss nachversteuert werden, da auch die nachgelagerte Besteuerung entfällt.

11. Für Annika 185 € und für Hugo 300 €.

12. **Der Riester-Investment-Sparplan**
   a) Der Beitrag setzt sich aus einer Eigenleistung und den Zulagen zusammen.
   b) keine Besteuerung während der Ansparphase
   c) Besteuerung mit dem individuellen EKSt-Satz in der Auszahlphase
   d) zunächst Umwandlung in einen Investment-Auszahlplan und nach Vollendung des 85. Lebensjahres Abschluss einer Rentenversicherung für die lebenslange Leibrente
      Die Auszahlungen müssen gleichbleiben oder können erhöht werden.
   e) frühestens mit 60 bzw. 62 Jahren
   f) bis zum Maximalbetrag von 2.100 € als Sonderausgaben in voller Höhe abzugsfähig

Der Investment-Sparplan
   a) Die Sparrate kann frei gewählt werden (i. d. R. schreibt der Produktanbieter eine Mindestrate von i. d. R. 50 € vor). Es gibt hierfür keine Zulagen.
   b) Abgeltungssteuer auf Erträge und realisierte Kursgewinne
   c) Abgeltungssteuer auf Erträge und realisierte Kursgewinne. Die Auszahlraten selbst unterliegen nicht der Einkommensteuer.
   d) Der Anleger bestimmt, ob er den Investment-Auszahlplan mit Kapitalerhalt oder Kapitalverzehr gestalten möchte und welche monatlichen Zahlungen er erhalten will. Er kann diese jederzeit beliebig verändern.
   e) vom Anleger frei wählbar
   f) keine steuerliche Förderung und keine Sonderausgabenabzugsmöglichkeit für die Sparraten

13. Der Anleger bleibt förderfähig. Es ist seine Entscheidung, ob er den Vertrag für eine Weile ruhen lassen möchte oder unverändert seine Eigenleistung erbringt.

14. Der einfachste Weg ist der sog. Dauerzulagenantrag, der über den Produktanbieter gestellt werden kann. Die Zahlung der Zulagen erfolgt jährlich in den entsprechenden Riester-Vertrag.

15. Das Finanzamt prüft automatisch mit der Einkommensteuererklärung, ob sich aus dem Sonderausgabenabzug ein steuerlicher Vorteil ergibt und berücksichtigt diesen dann entsprechend bei der Festsetzung der Einkommensteuerberechnung.

2.7   Rechtliche Grundlagen für offene Investmentvermögen
– Seite 339 –

1. Richtig: 1 e, 2 b, 3 c, 4 d, 5 a

2. Verkaufsprospekt, wesentliche Anlegerinformation KIID, letzter veröffentlichter Jahresbericht und ggf. Halbjahresbericht

3. Ausfertigung des vom Anlageberaters unterschriebenen Beratungs-protokolls und eine Kopie des Depoteröffnungsantrages (inkl. WpHG-Bogen)

4. ▪ gesetzliche vorgeschriebene Risikostreuung durch Anlage- und Emittentengrenzen
   ▪ zulässige Vermögensgegenstände

5. ▪ Begriffsbestimmungen
   ▪ gesetzliche Klassifizierung von Investmentvermögen in OGAW und AIF
   ▪ Vorschriften für den Vertrieb
   ▪ Kostentransparenz durch Angabe der TER (im Jahresbericht / Ver-kaufsprospekt und in den (wesentlichen Anlegerinformationen))
   ▪ Aufgabenverteilung zwischen der KVG und der Verwahrstelle
   ▪ Mindestinhalte in den Verkaufsunterlagen

2.8   Steuerliche Grundlagen für offene Investment-vermögen
– Seite 377–379 –

1. Anleger offener Investmentvermögen werden steuerlich genauso behandelt wie Direktanleger von Aktien, Renten u. a.

2. Richtig: a), b), c), e)

3. Die Summe aller Einkünfte abzüglich Altersentlastungsbetrag, Sonderausgaben, außergewöhnlicher Belastungen, Kinderfreibetrag und sonstiger abziehbarer Beträge

4. 25 %

5. 5,5 % auf den Abgeltungssteuerbetrag

6. Abgeltungssteuer: 20.000 € × 24,51 % = 4.902 €
   Kirchensteuer: 4902 € × 8 % = 392,16 €

7. Abgeltungssteuer: 1.000 € × 25 % = 250 €
   Solidaritätszuschlag: 250 € × 5,5 % = 13,75 €

8. Stückzinsen spielen beim Kauf und Verkauf von (fest-)verzinslichen Wertpapieren eine Rolle. Sie gleichen die Zinsansprüche zwischen zwei Zinsterminen aus.

9. Die Kapitalanlagegesellschaft berechnet börsentäglich die Höhe der im Anteilspreis enthaltenen Zwischengewinne. Zwischengewinne sind noch nicht ausgeschüttete Zinsen aus (fest-)verzinslichen Wertpapieren und dienen dem Ertragsausgleich zwischen Käufer und Verkäufer.

10. Richtig: b), c), d)

11. Ledige 801 €, Verheiratete 1.602 €

12. Richtig: b), d)

13. Anleger, die nur über ein geringes zu versteuerndes Einkommen unterhalb des so genannten Grundfreibetrages verfügen, können bei ihrem Wohnsitzfinanzamt für die Dauer von 3 Jahren eine Nichtveranlagungsbescheinigung beantragen. Diese befreit wie ein Freistellungsauftrag von der Abgeltungssteuer.

14. First-in-first-out.
Sie unterstellt beim Verkauf von Investmentanteilen oder Wertpapieren in einem Depot, dass die zuerst gekauften Anteile oder Wertpapiere auch zuerst als veräußert gelten. Dies ist wichtig bei der
Ermittlung der Steuerpflicht von Veräußerungsgewinnen.

15. Sie unterliegen der Abgeltungssteuer.

16. Sie unterliegen der Abgeltungssteuer.

17. Sie unterliegen nicht der Abgeltungssteuer.

18. den Depotwert am Todestag, bei Anteilen: den Rücknahmepreis am Todestag

19. ▪ Steuerklasse
   ▪ Steuersatz
   ▪ Freibeträge
   ▪ Verwandtschaftsgrad

20. Richtig: b), d)

2.9   Verkauf von offenen Investmentvermögen

– Seite 406–407 –

1. ▪ Über welches für Anlagezwecke frei verfügbares Monatseinkommen verfügen Sie?
   ▪ Über welches für Anlagezwecke frei verfügbares Vermögen verfügen Sie?
   ▪ Welchen Umfang hat Ihr Nettovermögen?

2. ▪ Anlageziel
   ▪ Risiko(-bereitschaft)
   ▪ Chancen(-erwartung)
   ▪ Anlagedauer

3. a) Legt Wert darauf, sein eingesetztes Kapital am Ende wieder zurückzuerhalten (sog. Substanzerhalt); sein Anlagehorizont ist eher kurzfristig, er kann nur mit minimalen Kursschwankungen umgehen und ihm genügt eine marktgerechte Verzinsung, wie sie für eine kurzfristige Anlageform (z. B. Festgeld) gezahlt wird.
   b) Die Sicherheit der Anlage steht immer noch im Vordergrund. Aber für etwas höhere Renditen werden kurzfristige Kursschwankungen in Kauf genommen. Der Anlagehorizont ist mittel- bis langfristig. Dementsprechend wird eine Verzinsung über dem Niveau für kurzfristige Anlagen erwartet.
   c) Die Rendite steht im Vordergrund und sollte über dem Marktniveau liegen. Kursschwankungen werden in Kauf genommen (auch aus Währungen oder z.B. Aktien). Der Anlagehorizont ist langfristig und die Rendite sollte langfristig hoch sein.
   d) Er will Marktchancen nutzen und nimmt dabei einen Verlust seines eingesetzten Kapitals in Kauf, sein Anlagehorizont ist langfristig, er akzeptiert auch unkalkulierbare Verlustrisiken und sucht eine langfristig anhaltend hohe Rendite.

4. ▪ Vermögensaufbau
   ▪ Vermögensanlage
   ▪ Vermögensnutzung
   ▪ Vermögensübertragung

5. Die finanzielle Lebensplanung eines Familienvaters (Musterlösung)

6. Sicherheit, Rendite, Liquidität

7. Richtig: b)

8. Richtig: 1 c, 2 b, 3 a

9. Richtig: 1 b, 2 a, 3 c

10. Kopie des Depoteröffnungsantrages, vom Berater unterschriebene Ausfertigung des Beratungsprotokolls, Verkaufsprospekt, Jahresbericht, wesentliche Anlegerinformation

2.10 Eröffnung, Gestaltung und Führung von Depotkonten

– Seite 419 –

1. Michaels Mutter muss ihr alleiniges Sorgerecht mittels eines Sorgerechtsnachweises des Familiengerichts nachweisen.

2. a) Frau Huber kann als Kontoinhaberin alleine den Verkaufsauftrag erteilen. Den Tod ihres Ehegatten weist sie durch die Vorlage der Sterbeurkunde nach.

   b) Auch in diesem Fall kann Frau Huber als Kontoinhaberin alleine den Verkaufsauftrag erteilen. Auch der Sohn könnte diesen Auftrag alleine erteilen.

   c) Frau Huber kann den Verkaufsauftrag alleine erteilen. Die beiden Miterben können nur gemeinsam unabhängig von Frau Huber einen Verkauf tätigen.

3. Einzelkonto, Oder-Konto, Und-Konto

4. ▪ Kontovollmacht (umfassende Verfügungsberechtigungen für ein Konto / Depot)
   ▪ Vollmacht über den Todesfall hinaus (übliche Form der Kontovollmacht mit einer Verlängerung der Verfügungsberechtigungen über den Tod des Vollmachtgebers hinaus)
   ▪ Vollmacht für den Todesfall (Diese Vollmacht tritt erst mit dem Tod des Vollmachtgebers in Kraft.)
   ▪ Postvollmacht (gilt nur für den Empfang des Schriftverkehrs eines Kontos)

5. Depotauftrag:
   ▪ Kauf
   ▪ Sparplan
   ▪ Tausch
   ▪ Übertrag
   ▪ Verkauf
   ▪ Auszahlplan

2.11 Anlageprogramme

– Seite 429 –

1. Schon ab geringen Anlagebeträgen möglich, jederzeitige Verfügbarkeit über das angesparte Geld, flexible Ansparzeiträume (monatlich, vierteljährlich usw.)

2. Der Cost-Average-Effekt kann bei einem Investment-Sparplan entstehen, der in regelmäßigen Zeitintervallen (beispielsweise monatlich) mit einer gleichbleibenden Sparrate in Euro bespart wird. Bei geringen Anteilspreisen werden dann mehr Anteile erworben und bei hohen Anteilspreisen weniger Anteile.

So kann im Durchschnitt ein günstigerer Einstiegspreis erzielt werden als beim Erwerb einer immer gleichbleibenden Anzahl von Fondsanteilen.

3. Richtig: 1 b, 2 c, 3 a

4. Laufzeit, Auszahlungsrate, Auszahlungstermin bzw. –rhythmus, mit Kapitalerhalt bzw. Kapitalverzehr, Anlagesumme, Zuzahlungen

5. Beim Auszahlplan kann es zu einem negativen Cost-Average-Effekt kommen, wenn die Auszahlphase mit einer länger anhaltenden schwachen Börsenphase (d.h. niedrige bzw. fallende Anteilspreise) zusammenfällt. Dann müssen mehr Anteile verkauft werden, um den gewünschten Auszahlbetrag zu erzielen. Das Kapital des Anlegers wird schneller aufgebraucht.)

2.12 Rating und Ranking
– Seite 437 –

1. Richtig: 1, 3

2. ▪ „Investment Grade"-Anleihen sind Anleihen mit geringem Ausfallrisiko
   ▪ „Speculative Grade"-Anleihen weisen eine geringe Schuldnerbonität auf

3. Rankings betrachten quantitative Faktoren wie beispielsweise die Wertentwicklung innerhalb eines bestimmten Zeitraums; Ratings betrachten neben den quantitativen Faktoren auch qualitative Faktoren wie beispielsweise die Qualität des Fondsmanagements oder der Wirtschaftlichkeit der Kapitalverwaltungsgesellschaft

4. Risikokennzahl, Kursschwankungsbreite um einen Durchschnittswert in einem bestimmten Zeitraum, Vergangenheitsbetrachtung, hohe Volatilität = hohes Risiko = höhere Chance auf Zusatzerträge bzw. Zusatzgewinne

5. Richtig: d)

3. Geschlossene Investmentvermögen

3.2 Geschlossene Investmentvermögen

– Seite 468–471 –

1. Mehrere Anleger investieren über eine Fondsbeteiligung in ein oder mehrere Investitionsobjekte. Der Anleger wird Kommanditist oder Aktionär und seine Anlage ist steuerlich und haftungsrechtlich eine unternehmerische Beteiligung mit umfangreichen Chancen und Risiken. Das Investitionsobjekt ist in der Regel ein Sachwert.

2. Richtig: 1 e, 2 a, 3 c, 4 d, 5 b

3. Richtig: c)

4. ▪ Konzeptionsphase
   ▪ Gründungsphase
   ▪ Kapitalbeschaffung inkl. Platzierungsphase
   ▪ Betriebsphase
   ▪ Auflösung des Investmentvermögen

5. Richtig: b), c)

6. Richtig: b), c), d)

7. Richtig: a), d), e)

8. Richtig: b), c), f)

9. Der Anleger sollte einen langfristigen Anlagehorizont haben, renditeorientiert sein, risikobereit und keinen Wert auf tägliche Verfügbarkeit legen.

10. Ein Zweitmarkt ist ein Markt, an dem Geschäftsanteile an bestehenden geschlossenen Investmentvermögen während ihrer Laufzeit gehandelt werden. Am Zweitmarkt werden Angebot und Nachfrage zusammengeführt.

11. ▪ hohe Liquidität
    ▪ adäquate Informationen
    ▪ seriöse Bewertung der angebotenen Anteile

12. ▪ wesentliche Anlegerinformationen (WAI)
    ▪ Verkaufsprospekt
    ▪ Anlagebedingungen
    ▪ Jahresbericht
    ▪ Gesellschaftsvertrag bzw. Satzung

13. ▪ offene Investmentvermögen: a), c), g)
    ▪ geschlossene Investmentvermögen: b), d), e), f)

14. 1. Erstgespräch inklusive Geeignetheitsprüfung, zur Verfügungsstellung des Verkaufsprospektes, WAI und Aushändigung des Beratungsprotokolls
    2. Folgegespräch zur Klärung offener Fragen und Aushändigung des Beratungsprotokolls bei Vertragsabschluss
    3. Zeichnung während des Platzierungszeitraums
    4. Annahmebestätigung durch den Initiator und Zahlung der Beteiligungssumme durch den Anleger
    5. Laufende Ausschüttungen und Rückzahlung des Kapitals am Laufzeitende durch den Initiator

15. **Offene Investmentvermögen**
    - unbegrenzte Anzahl von Anlegern
    - gesetzlich vorgeschriebene breite Risikostreuung
    - in der Regel börsentägliche Verfügbarkeit über die KVG (Ausnahme: offene Immobilien-Sondervermögen und Dach-Hedgefonds)

    Geschlossene Investmentvermögen
    - begrenzte Anzahl von Anlegern
    - eingeschränkte Risikostreuung (i. d. R. ein Objekt)
    - eingeschränkte Verfügbarkeit, da kein Börsenhandel und keine Rücknahmeverpflichtung seitens des Produktanbieters

16. - Prüfung des Kaufvertrages und Darlehensvertrages
    - Überprüfung des Zeichnungsprozesses hinsichtlich Leistung der Kapitaleinlagen durch die Anleger und Wirksamwerden der Beitritte
    - Prüfung der laufenden Aktivitäten und der Ertragsverwendung
    - Kontrolle der Einhaltung der vertraglichen und gesetzlichen Anlagebedingungen
    - Prüfung der Auflösung des Investmentvermögens am Laufzeitende

17. Richtig: a), c), f)

18. Anstelle der Verzinsung des eingesetzten Kapitals gibt die Interne Zinsfuß-Methode die Verzinsung des jeweils über die Laufzeit im Schnitt gebundenen Kapitals an und geht dabei zwingend von einer Wiederanlage der Erträge aus, unabhängig davon ob dies tatsächlich der Fall ist. Sie eignet sich nur für eine Berechnung von Durchschnittsrenditen über einen längeren Betrachtungszeitraum.

19. Richtig: a), c), e)

20. - Passt die Risikostruktur des geschlossenen Publikums-AIF zur Risikobereitschaft/-fähigkeit des Anlegers?
    - Passt der geschlossene Publikums-AIF zur Gesamtvermögensstruktur des Anlegers, beispielsweise durch einen Anteil am Gesamtvermögen von bis zu maximal 20 %?
    - Verbleibt ausreichend Liquidität, wenn die Ausschüttungen ausfallen?
    - Kann sich der Anleger einen Totalausfall seiner Kapitaleinlage leisten?
    - Bleibt die Risikostreuung seines Gesamtvermögens erhalten?

3.3   Chancen und Risiken

– Seite 494–495 –

1. Beteiligung an Großprojekten, Sachwertanlage, Inflationsschutz, geringer Verwaltungsaufwand, hohe Transparenz, regelmäßige Ausschüttungen, hohe Rendite, steuerliche Optimierung, börsenunabhängige Anlagemärkte

2. Richtig: a), d), e)

3. Richtig: a), d)

4. Richtig: a), c), d), g)

5. Richtig: a), c), d), f)

6. allgemeine wirtschaftliche und unternehmerische Risiken, prognosegefährdende Risiken, anlagegefährdende Risiken und anlegergefährdende Risiken

7. fehlende Einlagensicherung, langfristige Kapitalbindung, fehlende bzw. eingeschränkte Kündigungsrechte, eingeschränkte Fungibilität (Handelbarkeit), eingeschränkte Mitbestimmungsrechte

8. Bezahlt der Anleger seine Kapitaleinlage nicht aus eigenen Mitteln, sondern nimmt hierzu ganz oder teilweise einen Kredit auf, fallen für den aufgenommenen Kreditbetrag Zinsen an und je nach Vertragsgestaltung eine laufende Tilgung oder eine Gesamttilgungsverpflichtung zum Laufzeitende. Diese Kosten sind in der Prognoserechnung des Investmentvermögens nicht enthalten. Die Zinsen stellen steuerlich Sonderwerbungskosten des Anlegers dar und müssen für eine steuerliche Anerkennung termingerecht (Termin wird im Gesellschaftsvertrag geregelt) vom Anleger an die Fondsgesellschaft gemeldet werden, wenn diese steuerlich wirksam angerechnet werden sollen. Überprüft das Finanzamt die Gewinnerzielungsabsicht, werden diese Kosten mit eingerechnet. Der Anleger muss aber vor allem berücksichtigen, dass seine Zins- und Tilgungsleistungen unabhängig von der wirtschaftlichen Entwicklung der Fondsbeteiligung zu leisten sind.

9. Die Prognoserechnung trifft Annahmen über die zukünftigen Aufwendungen und Erträge und diese können von den tatsächlichen Werten in ihrer Höhe abweichen. Auch ein nicht vertragsmäßiges Verhalten der Vertragspartner birgt entsprechende Risiken wie zum Beispiel verspätete oder ausbleibende Mietzahlungen. Die Renditeprognose muss daher in regelmäßigen Abständen hinsichtlich der Finanz- und Liquiditätsplanung angepasst werden. Wesentliche Einflussfaktoren auf die Renditeprognose sind: Mieteinnahmen, die Entwicklung der Schiffscharterraten, Schiffsbetriebskosten, Instandhaltungskosten, der Kaufpreis und die zukünftige Wertentwicklung des Investitionsobjektes, weitere laufende Kosten der

Investment-KG, Anschlussfinanzierung und Währungsentwicklung u.a. Für den Anleger bedeutet dies, dass er zwar anhand der Prognoserechnung die Wahrscheinlichkeit einer erzielbaren Rendite prüfen kann, eine Garantie für die tatsächliche Rendite stellt die Prognoserechnung jedoch nicht dar.

10. **Fertigstellungsrisiko:** Investiert das geschlossene Investmentvermögen in ein oder mehrere Objekte, die noch nicht fertiggestellt sind, besteht das Risiko einer verzögerter Fertigstellung, die entsprechend zu einem verzögerten Zufluss der Mieteinnahmen führt. Außerdem können bis zur Fertigstellung zusätzliche noch nicht kalkulierte Kosten entstehen.

    Bonitätsrisiko: Dem Mieter des Investitionsobjektes kommt eine zentrale Rolle auf der Einnahmenseite des geschlossenen Investmentvermögens zu. Deshalb sollte der Mieter über eine hohe Bonität verfügen, d.h. langfristig in der Lage sein, seinen Mietverpflichtungen nachzukommen.

    Mietausfallrisiko: Dieses generelle Risiko besteht und führt zu einem erheblichen Einnahmenausfall. Bis ein neuer Mieter gefunden ist, muss das Investmentvermögen über die entsprechenden Mittel verfügen, die laufenden Kosten weiterhin zu zahlen. Dazu kommt das Risiko, ob die Ersatzvermietung zu den selben oder schlechteren Konditionen abgeschlossen werden kann.

    Währungsrisiko: Beispielsweise bei Schiffsfonds werden die Charterraten in US-Dollar bezahlt. Entsprechend besteht ein Währungsrisiko, wenn die Währung des geschlossenen Investmentvermögens der Euro ist und somit beispielsweise die Ausschüttungen an die Anleger in Euro erfolgen.

    Kostenrisiko: Ebenso wie auf der Einnahmenseite können sich auch auf der Ausgabenseite Abweichungen von der ursprünglichen Prognoserechnung ergeben. Beispielsweise, wenn Instandhaltungskosten nicht in ausreichender Höhe als tatsächlich anfallend kalkuliert wurden.

3.4   Arten geschlossener Investmentvermögen
– Seite 523–525 –

1. Gewerbliche geschlossene Investmentvermögen erzielen Einkünfte aus Gewerbebetrieb und vermögensverwaltende geschlossene Investmentvermögen erzielen Einkünfte aus Kapitalvermögen oder Vermietung und Verpachtung.

2. Ein Blind Pool ist ein geschlossener Investmentvermögen, bei dem im Vorfeld nicht oder nur teilweise feststeht, in welche Investitionsobjekte er investiert.

3. Richtig: d)

4. ▪ Bonität der Mieter
   ▪ Mieterstruktur
   ▪ Ausfall des Ankermieters
   ▪ Laufzeit der Mietverträge
   ▪ Anschlussmietverträge
   ▪ Mietgarantien
   ▪ Mietausfallrisiko

5. ▪ Containerschiffe
   ▪ Tanker
   ▪ Bulker
   ▪ Mehrzweckfrachter

6. Richtig: b), d)

7. ▪ Währungsrisiko
   ▪ Betriebskostenrisiko
   ▪ Charterraten
   ▪ Einkaufspreis
   ▪ Veräußerungsverlust
   ▪ Auslieferung des Schiffs

8. ▪ Steuervorteil durch günstigere Gewinnermittlungsmethode
   ▪ Renditevorteil bei marktgerechtem Schiffstyp

9. Richtig: a)

10. ▪ Investition in neue Infrastrukturen
    ▪ Investition in bestehende Infrastruktureinrichtungen

11. Richtig: c)

12. **risikogemischtes Investmentvermögen**
    ▪ alle Anleger
    ▪ keine gesetzlich vorgegebene Mindestanlagesumme
    ▪ Investition in mindestens drei Sachwerte
    nicht risikogemischtes Investmentvermögen
    ▪ semiprofessionelle und professionelle Anleger
    ▪ gesetzlich vorgegebene Mindestanlagesumme: 200.000 €
    ▪ Einobjektfonds zulässig

13. ▪ Solaranlagen
    ▪ Windkraftanlagen
    ▪ Wasserwerke

14. Richtig: b), e)

15. Richtig: a), c), e)

3.5 Rechtliche Grundlagen für geschlossene Investment-vermögen

– Seite 531 –

1. Richtig: a), c), d), f)
2. Richtig: d)

3.6 Steuerliche Grundlagen

– Seite 550–551 –

1. Richtig: c)
2. Richtig: b), c), d), e)
3. Richtig: c), e)
4. Richtig: b), d), f)
5. Bei einer stillen Reserve handelt es sich um zusätzliches Eigenkapital, das nicht in der Bilanz ersichtlich (aktiviert) ist.

4. Vermögensanlagen nach § 1 Abs. 2 Vermögensanlagengesetz (VermAnlG)

4.1 Arten von Vermögensanlagen

– Seite 587–588 –

1. Richtig: a), e)

2. ▪ Ausschüttungsrisiko
   ▪ Verlustrisiko
   ▪ Rückzahlungsrisiko
   ▪ Haftungsrisiko

3. Richtig: b), c)

4. Richtig: e)

5. ▪ keine Mitarbeit am Unternehmen
   ▪ keine unmittelbare Haftung
   ▪ keine Offenlegung im Handelsregister
   ▪ Gewinnbeteiligungsanspruch
   ▪ vertraglich ausschließbare Verlustbeteiligung

6. Richtig: c)

7. Richtig: b), d), e)

8. Gewinnzuschreibung, mögliche Verzinsung des Geschäftsguthabens, genossenschaftliche Förderung, Rückgabemöglichkeit der Anteile

9. ▪ geringe bis fehlende feste Verzinsung
   ▪ Verlustrisiko
   ▪ Nachschusspflicht im Insolvenzfall
   ▪ fehlende Anlegerschutzbestimmungen gemäß WpHG

10. ▪ Kündigungen der Mitgliedschaft
    ▪ Tod des Mitgliedes
    ▪ Übertragung des Geschäftsanteils auf einen Dritten
    ▪ Aufgabe des Wohnsitzes

4.2　Rechtliche Grundlagen von Vermögensanlagen

– Seite 605 –

1. Richtig: 1 d, 2 a, 3 b, 4 a, 5 c

2. Richtig: b), c)

3. ▪ Firma und Sitz der Genossenschaft
   ▪ Gegenstand des Unternehmens
   ▪ Bestimmungen über Nachschusspflichten
   ▪ Bestimmungen über die Form für die Einberufung der General-versammlung, die Beurkundung ihrer Beschlüsse und über den Vorsitz in der Versammlung
   ▪ Bestimmungen über die Form der Bekanntmachung der Genos-senschaften
   ▪ Angabe zum Geschäftsanteil
   ▪ Bildung einer gesetzlichen Rücklage zur Deckung eventueller Bilanzverluste

4. Richtig: c), d), e)

5. ▪ Pflicht zur Erstellung und Veröffentlichung eines Verkaufsprospektes
   ▪ Pflicht, ein Vermögensanlagen-Informationsblatt zu erstellen
   ▪ Haftung bei fehlendem oder fehlerhaftem Verkaufsprospekt
   ▪ Pflicht zur Erstellung und Bekanntmachung von Jahresabschlüssen

4.3　Steuerliche Grundlagen von Vermögensanlagen

– Seite 610 –

1. richtig: 1 a, 2 a, 3 a, 4 b, 5 b, 6 a

2. richtig: 1 a, 2 a, 3 a, 4 b, 5 b, 6 a